Juegos

Autores

Rosalinda B. Barrera   **Alan N. Crawford**

HOUGHTON MIFFLIN COMPANY   BOSTON

Atlanta   Dallas   Geneva, Illinois   Lawrenceville, New Jersey   Palo Alto   Toronto

Linguistic Consultant: Pedro Escamilla, Ph.D.,
Assistant Professor of Spanish,
Stephen F. Austin State University,
Nacogdoches, Texas

Design and Production: James Stockton &
Associates

Acknowledgments

For each of the selections listed below, grateful
acknowledgment is made for permission to adapt
and/or reprint original or copyrighted material,
as follows:

"Abuelita" por Tomás Allende Iragorri. Propiedad literaria © 1972 de la Secretaría de
Educación Pública, México. Reimpreso con
permiso de CONALITEG.

"El barro" por Nicole Giron, adaptada del cuento
original "El Barro." Propiedad literaria ©
1983 por Editorial Patria. Reimpreso con permiso de Editorial Patria, S.A. de C.V.

"Beatrice," adapted and translated from *Beatrice
Doesn't Want To,* by Laura Joffe Numeroff.
Copyright © 1981 by Laura Joffe Numeroff.
Reprinted by permission of Franklin Watts,
Inc.

"Caracol." Propiedad literaria © 1972 de la
Secretaría de Educación Pública, México.
Reimpreso con permiso de CONALITEG.

"Clyde Monster," translated adaptation of *Clyde
Monster* by Robert L. Crowe. Text copyright
by Robert L. Crowe. Reprinted by permission
of the publisher, E.P. Dutton, a division of
New American Library.

"El conejito," adaptada del cuento original "El
Pato Patuleco, El Conejito" por Rogelio Sinán.
Propiedad literaria © 1984 por EDUCA. Re-
impreso con permiso de EDUCA.

"Luz colorada" by Ernesto Galarza. Copyright
© 1972 by Ernesto Galarza. Reprinted by
permission of Mae Galarza.

"Nate the Great and the Lost Stamp," adapted
and translated from *Nate the Great and the
Sticky Case* by Marjorie Weinman Sharmat.
Copyright © 1978 by Marjorie Weinman Sharmat. Reprinted by permission of McIntosh
and Otis, Inc.

"What Mary Jo Shared," adapted and translated
from *What Mary Jo Shared* by Janice May
Udry. Copyright © 1966 by Janice May Udry.
Reprinted by permission of Albert Whitman &
Company.

Continued on page 223.

Contenido

3

5

Juegos

REVISTA

1

Contenido

Destrezas

Vocabulario

¿Qué va a pasar?

Lee este cuento.
Piensa en lo que va a pasar.

El señor Campos dijo:
—Vengan, niños.
—Quiero que me ayuden.
—Miren esta sala amarilla.
—El color amarillo no me gusta.
—La sala se vería muy bonita
de color blanco.

¿Qué va a pasar?

1. Van a pintar la sala.

2. Van a bailar en la sala.

10

Beatriz

Laura Joffe Numeroff

A Beatriz no le gustan los libros.
¿Qué pensará sobre los libros
cuando vaya a la biblioteca?

A Beatriz no le gustaban los libros.

No le gustaba leer.

No le gustaba ir a la biblioteca.

Pero ella tenía que ir allí
con su hermano Enrique.

Enrique tenía que hacer
su tarea en la biblioteca
y tenía que llevar a Beatriz.

Cuando llegaron a la biblioteca,
Enrique le preguntó a Beatriz:
—¿Por qué no sacas unos libros?

—No quiero —dijo Beatriz.

—¡Mira todos los libros
que hay aquí! —dijo Enrique.
—Hay muchos libros para niños.

—No quiero —le dijo Beatriz.

13

—Entonces, ¿qué quieres hacer?
—preguntó Enrique.

—Quiero ver lo que haces tú
—le dijo Beatriz.

—Pero yo tengo que hacer mi tarea
—dijo Enrique.

—Está bien —dijo Beatriz.

—Me rindo —dijo Enrique por fin.
Enrique empezó a hacer su tarea y
no miró a su hermana.

Al día siguiente, Beatriz no quería entrar a la biblioteca.

—Vamos, Beatriz —le dijo su hermano.

—No quiero —contestó Beatriz.

—Pero yo tengo que hacer mi tarea —dijo Enrique.

—Te voy a esperar —dijo Beatriz.

—Está bien —dijo Enrique—, pero espérame aquí.

—Está bien —dijo Beatriz.

15

Enrique se puso a hacer su tarea.

De pronto vio que su libro
se estaba mojando.

Enrique miró a su alrededor.

Allí estaba Beatriz.

—Está lloviendo —dijo Beatriz.

—Me rindo —dijo Enrique.

Al día siguiente, otra vez
estaba lloviendo.

Esta vez, Beatriz entró a la biblioteca.

Enrique sacó unos libros.

—¿Te puedo ayudar? —preguntó Beatriz.

—Está bien —contestó Enrique.
—Lleva estos libros.

—¡Son muy grandes! —dijo Beatriz,
y dejó caer todos los libros.

—¡Me rindo! —dijo Enrique.
—¡Contigo no se puede!
—¡Mira, Beatriz, tengo que hacer
mi tarea!

—Enrique —dijo Beatriz—,
¿dónde hay agua para beber?
Los dos buscaron agua para beber.

17

Vengan a escuchar sobre
EL RATÓN ALFREDO
y su casa nueva
hoy en la sala de lectura de niños

De pronto Enrique vio un letrero.

—Vamos, Beatriz —le dijo Enrique.
—Vamos a la sala de lectura de niños.

—No quiero —dijo Beatriz.

—¡Tienes que ir! —le dijo Enrique.

Pronto Beatriz se encontró en la sala.
Había muchos otros niños allí.

18

Una señora empezó a leer:

—El ratón Alfredo vivía
en una casa nueva.

Beatriz se puso a mirar
por la ventana.

La señora siguió con su lectura:

—El ratón Alfredo tenía patines nuevos.

A Beatriz le gustaba patinar.

—Pero Alfredo no podía patinar
dentro de la casa.

—A su mamá no le gustaba
—leyó la señora.

Los niños se pusieron a reír.

Beatriz pensó en lo que a ella
le había pasado el día que se puso
a patinar dentro de la casa.

Por fin, Beatriz se puso a reír.

Ella quería saber todo lo que
le había pasado a Alfredo.

Cuando el cuento terminó, Beatriz
preguntó: —¿Puedo mirar ese libro?

—¡Sí! —contestó la señora.

Beatriz se puso a mirar el libro.

Enrique llegó por Beatriz.

—Vamos —dijo Enrique.

Beatriz siguió leyendo.

—Vamos a casa —dijo Enrique.

Beatriz no miró a su hermano.

—Vámonos, Beatriz —le dijo Enrique.

—No quiero —dijo Beatriz.

Preguntas de comprensión

1. ¿Qué pensó Beatriz de los libros después de estar en la biblioteca con su hermano?

   A beatriz no quiro libros y leer.

2. ¿Cómo sabes que a Beatriz le gustó el cuento del ratón Alfredo?

   Yo se que a beatriz le gusto el quento porque no quire ir a caes

3. ¿Por qué piensas que Beatriz no se quería ir de la biblioteca cuando terminó el cuento?

   Beatriz no quería irse de la biblioteca porque qenia lea un quento.

bookstore
↳ libería

biblioteca
↳ library.

El studiar
autobus
avion
parque
casa
biblioteca

Vocabulario

biblioteca   escuela   parque

Habla de otros lugares a los que puedas ir.

¿Qué te hace reír?

El cuento del ratón Alfredo hizo reír a Beatriz.

Di algo sobre un cuento que te hizo reír.

¿Qué es importante?

Lee este cuento.
Piensa en las cosas que
son importantes.

—¡Mi pobre gato
está perdido! —dijo Pablo.

—Te quiero ayudar
a encontrarlo —dijo Luis.
—¿Cómo voy a saber
qué gato es **tu** gato?

—Se llama Chico, pero es muy grande
—dijo Pablo.
—Es gris y tiene ojos azules.
—Su cabeza y sus patas son blancas.

¿Puedes ver a Chico?
¿Qué cosas te ayudan a saber qué
gato del dibujo es Chico?

Cleto Monstruo

Robert L. Crowe

Cleto Monstruo tiene miedo
de entrar en su cueva.
Vamos a ver si Mamá y Papá
pueden ayudar a Cleto.

Cleto Monstruo no era muy grande,
pero sí era feo.

Y todos los días se ponía más feo.

Cleto vivía en el bosque
con su mamá y su papá.

Papá Monstruo era un monstruo grande.

Era muy feo y eso estaba muy bien.

Mamá Monstruo era más fea
y eso era mejor.

Los monstruos se ríen de
los monstruos bonitos.

Cleto, su mamá y su papá
eran unos monstruos muy lindos
—ya que los monstruos cuando
más feos, más lindos son.

Todos los días Cleto jugaba
en el bosque.

Hacía lindas cosas que a los monstruos
les gusta hacer.

Le gustaba hacer lindos agujeros
bien grandes y le gustaba caerse.

28

Por las noches Cleto dormía
en una cueva.

Pero una noche él dijo:

—No quiero entrar en mi cueva.

—¿Por qué? —le preguntó su mamá.

—¿Por qué no quieres entrar
en tu cueva?

—Le tengo miedo a la oscuridad
—dijo Cleto.

—¡Qué tontería! —dijo su papá.

—¿A qué le tienes miedo?

—A la gente —dijo Cleto.

—Si entro en la cueva, la gente
me puede agarrar.

—¡Qué tontería! —le dijo su papá.

—Ven y mira.

—¿Ves gente dentro de la cueva?

—No —dijo Cleto—, pero la gente
se puede esconder debajo de algo.

—Se puede esconder debajo
de una roca.

—Me puede agarrar cuando
estoy dormido.

31

—¡Qué tontería! —le dijo su mamá.

—Aquí dentro no hay gente.

—Y si entrara gente aquí,
no te agarraría.

—¿No me van a agarrar?
—preguntó Cleto.

—No —le dijo su mamá.

—¿Te esconderías tú en la oscuridad?

—¿Te esconderías tú debajo de
una cama para asustar a los niños?

—¡No, nunca! —dijo Cleto.

—Bueno, la gente no se va a esconder
en la oscuridad para asustarte —le dijo
su papá.

—Los monstruos y la gente
se pusieron de acuerdo.

—Los monstruos nunca asustan
a la gente y la gente nunca asusta
a los monstruos.

—¿De verdad? —les preguntó Cleto.

—De verdad —le dijo su mamá.

—¿Sabes de gente que haya asustado
a los monstruos?

—No —dijo Cleto.

—¿Sabes de monstruos que
hayan asustado a la gente?
—le preguntó su mamá.

—No —dijo Cleto.

—¡Ya ves! —le dijo su mamá.
—Y ahora, ¡a dormir!

34

—Y —le dijo su papá—
no quiero que digas más
que le tienes miedo a la gente.

—De acuerdo —dijo Cleto
y entró en la cueva.

—Pero, ¿me pueden dejar la roca
un poquito abierta?

Preguntas de comprensión

1. ¿Cómo ayudó Mamá Monstruo a Cleto cuando estaba asustado? ¿Cómo le ayudó Papá Monstruo?

2. ¿En qué se pusieron de acuerdo los monstruos y la gente?

3. ¿Por qué piensas que Cleto pidió que le dejaran la roca un poquito abierta?

Vocabulario

monstruo   dragón   gnomo

¿En qué se parecen estas palabras?

Di otras palabras que nombran cosas que sólo están en la imaginación.

Escribe sobre un monstruo

Cleto, su papá y su mamá son todos monstruos.

Haz un dibujo de un monstruo.

Escribe unas oraciones sobre tu monstruo.

Contrarios

Una ardilla va a subir al árbol.
Un gato va a bajar del árbol.
Subir es lo contrario de **bajar.**
La ardilla va a hacer lo contrario
que el gato.

38

Día es lo contrario de **noche.**

Lindo es lo contrario de **feo.**

Termina estas oraciones usando un contrario.

1. Los osos son animales **grandes.**

   Los ratones son animales _____.

   grises   pequeños

2. Voy a comprar un libro **nuevo.**

   Este libro _____ es de mi abuelito.

   viejo   azul

En pocas palabras

Lee este cuento.

Piensa cómo puedes decir
el mismo cuento
en pocas palabras.

En unos días va a ser
el cumpleaños del abuelito de Claudia.

Ella está en casa pensando en qué
sorpresa le puede hacer.

—¿Qué puedo hacer para mi abuelito?
—preguntó Claudia a sus papás.

—No sé —le dijo su mamá.

—Usa tu imaginación.
Lo mismo le dijo su papá.

—Le puedo hacer un barco de papel
—dijo Claudia a sus papás.

—Pero no le gustan los barcos.

—Le puedo hacer un lindo dibujo
a mi abuelito, —dijo Claudia.

—Pero todos siempre le dan dibujos.

—Ah, ya sé.

—Mi abuelito siempre dice que
le gusta comer.

—Le voy a hacer un desayuno.

—Sí, un rico desayuno con panqueques.

—¡Qué feliz se sentirá tu abuelito!
—dijeron sus papás.

1. ¿Sobre quiénes trata el cuento?

2. ¿Dónde estaban ellos?

3. ¿Qué quería hacer Claudia?

4. ¿Qué cosas pensó en hacer primero?

5. ¿Qué va a hacer al fin?

Lo que María Josefa compartió

Janice May Udry

Parte 1

María Josefa es tímida, pero ella quiere compartir algo en la escuela.

Vamos a ver qué quiere compartir María Josefa.

Cuando era la hora de compartir
en la escuela, María Josefa no compartía.

Ella era demasiado tímida.

Tenía miedo de decirles algo
a los otros niños.

Pensaba que ellos no la escucharían.

La señorita Salas era la maestra.

Ella le preguntaba: —María Josefa,
¿tienes algo que compartir con nosotros?

María Josefa movía la cabeza
para decir que no.

Entonces miraba al suelo.

—¿Por qué no compartes algo?
—le preguntaba su amiga Laura.

—Otro día —contestaba María Josefa.
—Es que hoy no quiero.
María Josefa sí quería compartir,
pero era demasiado tímida.

En la noche su papá le preguntaba
—¿Compartiste algo hoy?

María Josefa movía la cabeza
y contestaba —No, hoy no.

Un día estaba lloviendo.

María Josefa pensó,

"Voy a compartir mi paraguas nuevo".

"Tengo muchas ganas
de llegar a la escuela".

María Josefa se comió el desayuno
lo más pronto que pudo.

Entonces sacó su paraguas azul.

Cuando María Josefa llegó
a la escuela, ¡vio que había muchos
otros paraguas!

"Todos en mi clase tienen paraguas",
pensó María Josefa.

"Quizás no sea buena idea compartir
mi paraguas azul".

A la hora de compartir, la maestra
le preguntó: —María Josefa,
¿tienes algo que compartir esta mañana?

María Josefa movió la cabeza
para decir que no.

La mañana siguiente María Josefa
y su hermano encontraron un chapulín.

Encontraron una jarra con agujeros
para el chapulín.

"¡Voy a compartir el chapulín!"
pensó María Josefa.

Así que llevó la jarra con el chapulín
a la escuela.

Cuando llegó a la escuela,
María Josefa vio que los niños
y las niñas estaban mirando algo.

Fue a ver lo que los niños
y las niñas estaban mirando.

—¡Jaimito tiene tres chapulines!
—dijo Laura.

—Encontró los tres sin ayuda
de nadie.

María Josefa pensó en su chapulín
y en cómo su hermano le había ayudado
a encontrarlo.

"No voy a compartir mi chapulín",
ella pensó.

A la hora de compartir, la maestra
le preguntó: —María Josefa,
¿tienes algo que compartir esta mañana?

María Josefa sólo movió la cabeza.

Todos los otros niños y niñas
en la clase de la señorita Salas
compartían cosas.

Compartían sus libros.

Compartían sus animalitos.

A veces compartían cosas
que encontraban en el bosque.

Ahora María Josefa tenía muchas ganas
de compartir algo.

Quería compartir algo que nadie en
la clase había compartido.

Pensándolo bien

Preguntas de comprensión

1. ¿Qué quería compartir María Josefa?

2. ¿Compartió su paraguas y su chapulín? ¿Por qué sí o por qué no?

Vocabulario

clase   hermano   jarra

1. María Josefa y su ___ encontraron un chapulín.

2. Pusieron al chapulín en una ___.

3. Ella quería enseñárselo a su ___.

¿Qué palabra va en qué oración?

Lo que me gustaría compartir

María Josefa quería compartir algo. Escribe unas oraciones sobre algo que te gustaría compartir.

Yo quiro compartir yo

Lo que María Josefa compartió

Janice May Udry

Parte 2

María Josefa por fin va a compartir
algo que nadie más en la clase
ha compartido.

¿Cómo se sentirá María Josefa
al compartirlo?

Una noche el papá de María Josefa
le preguntó: —¿Compartiste algo hoy?

María Josefa le contestó:
—No, hoy no.

¡De pronto pensó en algo!
—¿Puedes venir a la escuela conmigo
mañana? —le preguntó a su papá.

—¿Mañana? —preguntó su papá.

—Bueno, sí puedo ir.

—¡Qué bueno! —dijo María Josefa.

—Entonces puedes venir a escucharme compartir algo.

—Está bien —dijo su papá.

—¿Qué vas a compartir?

—Espera, ya vas a ver
—dijo María Josefa.

A la mañana siguiente María Josefa
y su papá fueron a la escuela.

La maestra dijo que estaba
muy contenta de que el papá
de María Josefa hubiera venido.

—Yo tengo algo que compartir hoy
—dijo María Josefa.

—¡Qué bueno! —dijo la maestra.

A la hora de compartir,
la señorita Salas preguntó:
—¿Quién tiene algo que compartir?

María Josefa levantó la mano.
—Yo —ella dijo.
Pasó al frente de la clase.

—Esta mañana voy a compartir
a mi papá —dijo María Josefa.

Todos los niños sonrieron.
El papá de María Josefa
también sonrió.
Él pasó al frente de la clase.

—Éste es mi papá —dijo María Josefa.

—Se llama señor Guillermo Wood.

—Él y mi mamá tienen tres niños.

Jaimito levantó la mano.

—Mi papá es del oeste
—dijo Jaimito.

—¿De dónde es tu papá?

—Mi papá también es del oeste
—dijo María Josefa.

—Él es maestro.

—Le gusta leer y salir de pesca.

—¡A mi papá también le gusta pescar!
—dijo una niña.

—Mi papá también es maestro
—dijo un niño.

¡Todos querían compartir a sus papás!

La señorita Salas dijo: —Niños,
María Josefa está compartiendo
a su papá hoy.

—Cuando mi papá era pequeño
—siguió María Josefa—,
no era siempre bueno.

Una niña preguntó: —¿Qué hacía?

—Bueno —dijo María Josefa—,
un día se comió unos panecitos
que su mamá hizo para una comida
en la escuela.

Luego María Josefa dijo:
—Ahora mi papá va a hablar con ustedes.

Frente a la clase,
el señor Wood empezó a hablar.

Sonrió y dijo que le gustaba mucho
venir a la clase de la señorita Salas.

María Josefa se sentía muy contenta.
Por fin había compartido algo
que nadie en su clase había compartido.

Preguntas de comprensión

1. ¿Qué compartió María Josefa?
   ¿Cómo se sentía María Josefa
   cuando lo compartió?

2. ¿Piensas que María Josefa volverá a
   compartir algo?
   ¿Por qué sí o por qué no?

Vocabulario

La palabra **contenta** quiere decir algo como la palabra **feliz.**

Di una palabra que quiere decir algo como la palabra: **feo**

roca

linda

empezó

pequeño

Un cuento sobre ti mismo

María Josefa le dijo a su clase lo que le pasó una vez a su papá cuando era pequeño.

Habla sobre algo que a ti te haya pasado una vez.

Escribe unas oraciones sobre lo que te pasó.

TÚ

Charlotte Pomerantz

Tú eres tú.
No yo,
Pero tú.
Mira al espejo
¿Quién es?
La cara que miras
No soy yo—
Eres tú.

63

¿De qué se trata?

Al leer, piensa de qué cosa
se trata este cuento.

Hay muchas clases de ardillas.

Unas ardillas son rojas y unas
son grises.

Unas ardillas viven en el bosque.

Otras viven en parques o
cerca de las casas de la gente.

Unas clases de ardillas son más
grandes que otras, pero todas
las ardillas tienen cuerpos pequeños.

A todas las ardillas les gusta
subirse a los árboles y también bajarse
de ellos.

Las ardillas no vuelan, pero
unas pueden dar grandes saltos
de un árbol a otro.

¿Qué oración te dice de qué cosa trata el cuento?

1. Unas ardillas viven en el bosque.

2. Las ardillas no vuelan, pero unas pueden dar grandes saltos de un árbol a otro.

3. Hay muchas clases de ardillas.

El chapulín saltarín

Hay muchas clases de chapulines.

Algunos chapulines viven en el pasto.

Algunos chapulines viven
en los árboles.

Los chapulines viven donde hay pasto
y otras plantas para comer.

Todos los chapulines saltan.

66

No todos los chapulines son
del mismo color.

¿Qué colores ves en estos chapulines?

67

Los chapulines caminan.

Los chapulines vuelan.

Pero una gran parte del tiempo,
los chapulines saltan.

Los chapulines dan saltos muy largos.
Un chapulín da saltos
mucho más largos que su propio cuerpo.

68

Los chapulines tienen dos ojos grandes
y tres ojos pequeños.

Con todos esos ojos, los chapulines
ven muy bien.

Si algo le da miedo, el chapulín
tiene tiempo para saltar a otro lugar.

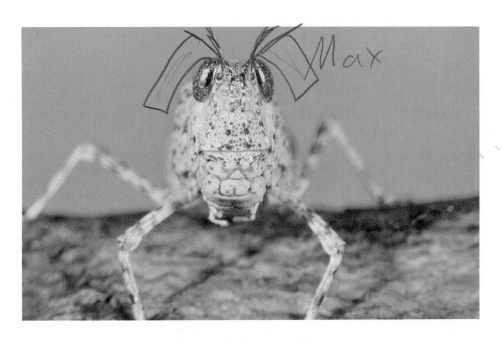

Los chapulines son pequeños
pero saben cómo cuidarse.

Saltar bien y ver bien son dos cosas
que los chapulines hacen para cuidarse.

Preguntas de comprensión

1. ¿Qué dos cosas ayudan a un chapulín a cuidarse?

2. ¿Qué otros animales pueden cuidarse como un chapulín?

Vocabulario

saltar   pasto   caminar   árboles

¿Qué palabras de éstas nombran **lugares** en los que vive un chapulín?

¿Qué palabras de éstas nombran cosas que **hace** un chapulín?

Un lugar para un chapulín

Piensa en un buen lugar donde un chapulín pueda vivir.

Dibuja y habla sobre este lugar.

¿Recuerdas?

1. ¿Qué piensa Beatriz ahora sobre las bibliotecas? ¿Por qué?
   ¿Qué piensa Cleto ahora sobre la gente? ¿Por qué?

EL RATÓN ALFREDO
Y SU CASA NUEVA

2. Las familias de Beatriz, Cleto y María Josefa los ayudaron. ¿Quién ayudó a Beatriz, quién ayudó a Cleto y quién ayudó a María Josefa? ¿Cómo los ayudaron?

71

Mi amigo tiene miedo

Imagina que uno de tus amigos o alguien en tu familia tiene miedo de algo.

Di cómo lo ayudarías a no tener miedo.

Escribe sobre un cuento

Piensa en el cuento de Beatriz, el cuento de Cleto, el cuento de María Josefa y el cuento de los chapulines.

¿Qué cuento te gustó más?

Escribe el nombre del cuento.

Escribe unas oraciones para decir por qué te gustó más.

72

Juegos

Contenido

74

75

¿Por qué pasó?

Lee este cuento.

Piensa qué es lo que hace correr a Tomás.

Tomás iba caminando hacia la escuela.

Miró al cielo.

''Va a llover'', pensó.

''Se me olvidó el paraguas.

No tengo tiempo de ir a casa ahora.''

De pronto, empezó a llover.

¡De pronto, Tomás empezó a correr!

76

¿Por qué se puso Tomás a correr?

1. Tenía que ir a su casa.

2. Se estaba mojando.

3. Quería llegar a tiempo al parque.

¿Cómo estaba Tomás al llegar
a la escuela?
¿Por qué?

El gansito miedoso

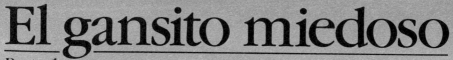

Parte 1

Personajes:

Narrador	Cochinito
Gansito	Oveja
Hermano Ganso	Vieja Vaca Sabia
Hermana Gansa	

Algo pasa que asusta a Gansito.
Vamos a ver si los amigos de
Gansito también se asustan.

Narrador: Hace mucho tiempo, había un gansito que le tenía miedo a todo. Una mañana estando él sentado debajo de un árbol, miró hacia el cielo.

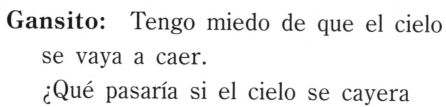

Gansito: Tengo miedo de que el cielo se vaya a caer.

¿Qué pasaría si el cielo se cayera ahora mismo?

¿Qué me pasaría?

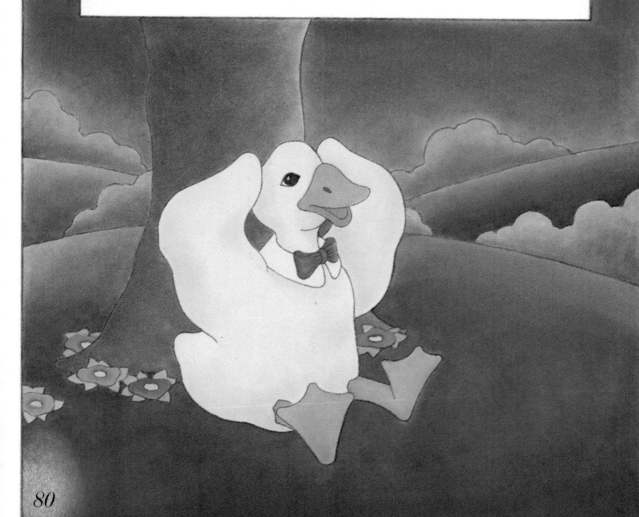

Narrador: De pronto hubo un ruido,
¡cataplum!
Sólo fue un pequeño ruido.
Pero Gansito se asustó.

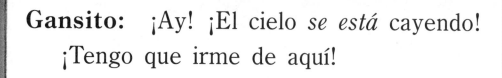

Gansito: ¡Ay! ¡El cielo *se está* cayendo!
¡Tengo que irme de aquí!

Narrador: Gansito se fue corriendo
muy rápido.
Pronto vio a Hermano Ganso.

82

Hermano Ganso: Gansito, ¡espera!
¿Adónde vas?

Gansito: ¡Ay, no puedo esperar!
Ahora no tengo tiempo para hablar.
¡Tengo que irme de aquí!
¡El cielo se está cayendo!

Hermano Ganso: ¿Se está cayendo
el cielo?
Yo no veo que el cielo se
esté cayendo.

83

Gansito: ¡Pero te digo que sí!
¡Hubo un GRAN ruido!
¡Yo *sé* que el cielo se está cayendo!

Hermano Ganso: Si el cielo se está
cayendo, yo también quiero irme
de aquí.
Me voy contigo.

Narrador: Así que Gansito y
Hermano Ganso se fueron corriendo
rápido por el camino.
Pronto vieron a Hermana Gansa.

Hermana Gansa: Gansito,
Hermano Ganso, ¡esperen!
¿Adónde van?

Hermano Ganso: ¡Ay, no podemos
esperar! No tenemos tiempo.
¡Tenemos que irnos de aquí!
¡El cielo se está cayendo!

Hermana Gansa: ¿Se está cayendo
el cielo?
Yo no veo que el cielo se
esté cayendo.

Gansito y Hermano Ganso: Pero,
¡hubo un GRAN ruido!
¡*Sabemos* que el cielo
se está cayendo!

Hermana Gansa: Si el cielo se está
cayendo, yo también quiero irme
de aquí.
Me voy con ustedes.

Narrador: Así que Gansito,
Hermano Ganso y Hermana Gansa se
fueron corriendo juntos por el camino.
Pronto vieron a Cochinito.

Cochinito: ¡Esperen todos!
 ¿Adónde van?

Hermana Gansa: ¡Ay, no podemos
 esperar! No tenemos tiempo.
 ¡Tenemos que irnos de aquí!
 ¡El cielo se está cayendo!

Cochinito: ¿Se está cayendo
 el cielo?
 Yo no veo que el cielo se
 esté cayendo.

Todos: Pero, ¡hubo un GRAN ruido!
¡*Sabemos* que el cielo se
está cayendo!

Cochinito: Si el cielo se está cayendo,
yo también quiero irme de aquí.
Me voy con ustedes.

Narrador: Así que Gansito,
Hermano Ganso, Hermana Gansa
y Cochinito se fueron corriendo juntos
por el camino.
Pronto vieron a Oveja.

Oveja: ¡Esperen todos!
¿Adónde van?

Cochinito: ¡Ay, no podemos esperar!
No tenemos tiempo.
¡Tenemos que irnos de aquí!
¡El cielo se está cayendo!

Oveja: ¿Se está cayendo el cielo?
Yo no veo que el cielo se
esté cayendo.

Todos: Pero, ¡hubo un GRAN ruido!
¡*Sabemos* que el cielo se
está cayendo!

Oveja: Si el cielo se está cayendo,
yo también quiero irme de aquí.
Me voy con ustedes.

Preguntas de comprensión

1. ¿Se asustaron los animales cuando Gansito les dijo que el cielo se estaba cayendo?

2. ¿Piensas que lo que se pusieron a hacer les podía ayudar?

Vocabulario

Di qué palabras de un letrero van con qué palabras del otro letrero.

dientes
clase
personajes

escuela
boca
cuento

El animal que más me gusta

Dibuja el animal que más te gusta. Escribe unas oraciones sobre él.

El gansito miedoso

Parte 2

Gansito y sus amigos *saben*
que el cielo se está cayendo.
¿Cómo los ayudará la Vieja
Vaca Sabia?

Narrador: Así que Gansito,
Hermano Ganso, Hermana Gansa,
Cochinito y Oveja se fueron corriendo
juntos por el camino.
Pronto vieron a Vieja Vaca Sabia.

94

Vieja Vaca Sabia: ¡Esperen todos!
   ¿Adónde van?

Oveja: ¡Ay, no podemos esperar!
   No tenemos tiempo.
   ¡Tenemos que irnos de aquí!
   ¡El cielo se está cayendo!

Vieja Vaca Sabia: ¿Se está cayendo
   el cielo?
   Yo no veo que el cielo se
   esté cayendo.

Todos: Pero, ¡hubo un GRAN ruido!
   ¡*Sabemos* que el cielo se
   está cayendo!

Vieja Vaca Sabia: Dime, Oveja,
¿dónde oíste ese GRAN ruido?

Oveja: Pensándolo bien, fue Cochinito
el que me contó acerca del
GRAN ruido.

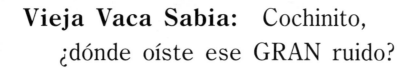

Vieja Vaca Sabia: Cochinito, ¿dónde oíste ese GRAN ruido?

Cochinito: Pensándolo bien, fue Hermana Gansa la que me contó acerca del GRAN ruido.

Vieja Vaca Sabia: Hermana Gansa, ¿dónde oíste ese GRAN ruido?

Hermana Gansa: Pensándolo bien, fue Hermano Ganso el que me contó acerca del GRAN ruido.

97

Vieja Vaca Sabia: Hermano Ganso,
¿dónde oíste ese GRAN ruido?

Hermano Ganso: Pensándolo bien, fue
Gansito el que me contó acerca del
GRAN ruido.

Todos: ¡Así es!
Fue Gansito.
Gansito fue el que oyó el GRAN ruido.

Vieja Vaca Sabia: Gansito, ¿dónde oíste ese GRAN ruido?

Gansito: Fue junto al árbol grande.

Vieja Vaca Sabia: Ven, Gansito, enséñame el árbol grande. Los otros pueden esperar aquí.

Narrador: Así que la Vieja Vaca Sabia y Gansito fueron a ver el árbol. Los otros esperaron.

Gansito: Allí está el árbol.
¡Allí fue donde oí el GRAN ruido!

Vieja Vaca Sabia: Ven conmigo
al árbol, Gansito.
Quiero enseñarte qué cosa hizo
el ruido.

Gansito: ¿Al árbol?
¡No, yo no iría a ese árbol
para nada!
¡Me da mucho miedo!

Vieja Vaca Sabia: No te asustes.
Voy contigo.

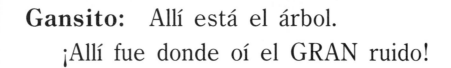

Narrador: Entonces Vieja Vaca Sabia
y Gansito fueron al árbol.
Vieja Vaca Sabia sacudió el árbol.
Al sacudir el árbol, cayó
una manzana, *¡cataplum!*

Vieja Vaca Sabia: ¿Fue ése el ruido
que oíste?

Gansito: ¡Sí, fue ése mismo!
Ya veo, ¡era una manzana nada más!
Así que el cielo no se está cayendo,
después de todo.

Vieja Vaca Sabia: Vamos a decírselo a los otros.

Narrador: Así que Gansito y Vieja Vaca Sabia regresaron adonde los otros los estaban esperando.

Gansito: Yo estaba equivocado, amigos. El cielo *no* se está cayendo, después de todo.

Oveja: Dice Gansito que estaba
equivocado.
Dice que el cielo no se está cayendo,
después de todo.

Cochinito: Dice Oveja que el cielo
no se está cayendo,
después de todo.

Hermana Gansa: Dice Cochinito
que el cielo no se está cayendo,
después de todo.

Hermano Ganso: Dice Hermana Gansa
que el cielo no se está cayendo,
después de todo.

Todos: ¡Viva! ¡Viva!

El cielo no se está cayendo,
después de todo.

Narrador: Entonces todos regresaron
a casa.

Ya no había nada de que asustarse.

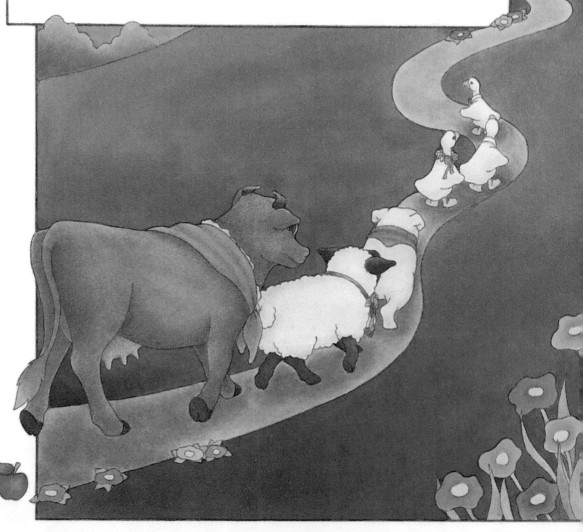

Preguntas de comprensión

1. ¿Cómo ayudó Vieja Vaca Sabia a Gansito y a sus amigos?

2. ¿Qué fue lo que hizo el ruido que oyó Gansito?

3. ¿Piensas que Vieja Vaca Sabia era en verdad sabia?
   ¿Por qué sí o por qué no?

Vocabulario

¡crac!   ¡zas!   ¡cataplúm!

¿Qué otras palabras son de ruidos que oímos?

¿Qué fue ese ruido?

Vieja Vaca Sabia encontró la cosa que hizo el GRAN ruido.

Imagina que oíste un ruido.

¿Cómo puedes encontrar qué fue lo que hizo el ruido?

Escribe unas oraciones sobre lo que puedes hacer.

Animales ABC

Aquí está el alfabeto.

A B C CH D E F G H I J K L LL
M N Ñ O P Q R S T U V W X Y Z

Tú sabes cómo decir
las letras del alfabeto.
Las puedes decir en orden.

Los nombres y las palabras
en algunos libros están
en el orden del alfabeto.
Están en orden alfabético.
Si quieres encontrar un nombre
o una palabra en uno de estos libros,
tienes que saber el orden alfabético.

107

Los nombres de estos animales están en orden alfabético.

<u>A</u> es la primera letra del alfabeto.

<u>Ardilla</u> empieza con la letra <u>A</u>, así que <u>Ardilla</u> está primero.

<u>B</u> es la siguiente letra del alfabeto.

<u>Burro</u> empieza con la letra <u>B</u>, así que <u>Burro</u> está después.

¿Por qué está después <u>Conejo</u>?

Mira estas palabras.

agua   casa   bonito

Pon las palabras en orden alfabético.

Estos nombres de animales
también están en orden alfabético.

Ninguno de los nombres de estos
animales empieza con A.

La B es la siguiente letra
del alfabeto, así que Ballena
está primero.

Ninguno de los nombres de estos
animales empieza con C, CH, D, E o F.

La G es la siguiente letra
del alfabeto, así que Gato
está después de Ballena.

¿Por qué está Perro después de Gato?

¿Por qué está Tigre en último lugar?

Usa lo que ya sabes para poner
esta línea de nombres de animales
en orden alfabético.

Tortuga   Gallinita   Cuervo   Oso

Aquí hay más palabras.

Usa lo que ya sabes para
poner cada línea de palabras
en orden alfabético.

Línea 1:   **día   agua   caja   boca**

Línea 2:   **libro   vaso   cama   olla**

¿Qué es importante?

Mira este cuento.

Al leerlo, piensa en las cosas que son importantes.

Chapulín saltó toda la mañana.

Después se sentó debajo de un árbol y se puso a dormir.

Oso Gordo le dijo a Ardillita:

—¿Dónde está Chapulín?

—Se debe de haber perdido —dijo Ardillita.

—Vamos a buscarlo.

Oso Gordo y Ardillita lo buscaron y lo buscaron.

111

Al fin, encontraron a Chapulín
dormido debajo del árbol.

—¡Chapulín! —gritó Oso Gordo.

—¡Te encontramos!

Chapulín sonrió a sus amigos.

—¡No sabía que estaba perdido! —dijo.

1. ¿Sobre quién es el cuento?

2. Oso Gordo y Ardillita pensaron que
   algo le había pasado a Chapulín.
   ¿Qué pensaron que le había pasado?

3. ¿Qué estaba haciendo Chapulín
   debajo del árbol?

4. ¿Qué dijo Chapulín cuando
   sus amigos lo encontraron?

Pepe Caracolito

Phyllis M. Bourne

Pepe Caracolito está buscando
buenos amigos.
Vamos a ver cómo los encuentra.

Pepe Caracolito vivía debajo de
un árbol de manzanas.

Esa parte del bosque era muy bonita,
pero Pepe Caracolito no tenía
muchos amigos.

Por las noches Ratón pasaba por
el camino viejo.

Por las mañanas, Ranita se sentaba
sobre una roca junto al arroyo.

Pero ninguno tenía tiempo para
Pepe Caracolito.

Pepe Caracolito quería tener
buenos amigos.

Él quería ver otros lugares
del bosque y quería buscar
amigos nuevos.

Una mañana empezó a llover.

Pepe Caracolito vio que

el agua de la lluvia se llevaba las hojas.

Se subió a una hoja grande y pensó:

"Esta hoja va a ser mi barco".

El agua de la lluvia se llevó
la hoja hasta el arroyo.

Pepe Caracolito siguió sobre la hoja.

La hoja siguió por el arroyo.

De pronto la hoja encontró
una telaraña.

—Hola Araña —dijo Pepe Caracolito.
—¿Quieres ser mi amiga?

—¡Ay, Caracolito, no tengo tiempo!
—contestó Araña.
—Tengo que terminar mi telaraña.

De pronto Araña y la telaraña
cayeron al agua.

—¡Ayúdame! —gritó Araña.

—¡No sé nadar!

Pepe Caracolito usó la telaraña
para subir a Araña sobre la hoja.

Araña le dijo: —¡Gracias Caracolito!

—¡Qué buen amigo eres!

La hoja siguió bajando por el arroyo
con los dos amigos sobre ella.

Pepe Caracolito y Araña vieron
muchas cosas bonitas.

Vieron flores rojas grandes.

Vieron flores azules pequeñas.

Vieron flores amarillas pequeñitas.

Pepe Caracolito y Araña
oyeron un ruido sobre sus cabezas.
Miraron al cielo y vieron una mariposa.
Tenía alas de lindos colores.

—¡Ya no puedo volar!
—gritó Mariposa.
—¡Tengo el ala rota!

—Ven Mariposa,
—dijeron los dos amigos.
—Ven a esta hoja.

Pepe Caracolito y Araña ayudaron
a Mariposa.

Araña le puso telaraña en el ala rota.

—Estás muy cansada, Mariposa
—dijo Pepe Caracolito.

—Es mejor que esperes.

—Cuando ya no estés cansada,
podrás volar otra vez.

—¡Gracias amigos! —dijo Mariposa.

Pepe Caracolito, Araña y Mariposa llegaron a un lugar con arena.

Saltaron de la hoja sobre la arena.

Un poco más allá de la arena vieron un hongo grande.

Caminaron hasta el hongo.

De pronto —¡*Cataplum!*

Los tres amigos saltaron.

Ellos vieron un gusanito.
Se había caído del hongo.
—¡Ay, me caí! —dijo Gusanito.

—¿Estás bien? —le preguntó Mariposa.

Pepe Caracolito empezó a sacudir
la arena del cuerpo de Gusanito.

Araña dijo: —¿Quieres un poco de agua?

—¡Gracias amigos! —dijo Gusanito.

Empezó a llover muy fuerte.

—Rápido, vamos a mi casa
—dijo Gusanito.

—Allí no nos vamos a mojar.

Todos corrieron a la casa de Gusanito.
Su casa estaba dentro de un tronco.

—¡Qué bonita casa!
—dijo Pepe Caracolito.

Gusanito hizo una comida
muy rica.

Todos contaron cuentos cómicos.

Pepe Caracolito sonrió.

Él estaba muy contento porque ahora
tenía buenos amigos.

Preguntas de comprensión

1. Pepe Caracolito se hizo amigo de los otros animales porque les enseñó que él podía ser un buen amigo. ¿Cómo se lo enseñó a cada animal?

2. ¿Por qué se quería ir Pepe Caracolito sobre una hoja?

3. ¿Por qué piensas que tener amigos era importante para Pepe Caracolito?

127

Vocabulario

araña   **arroyo**   **mariposa**
caracolito   **gusanito**   **hongo**

¿Qué palabras de éstas nombran animales?

Todos estos animales son pequeños.

Di qué otros animales son pequeños como éstos.

¿Adónde fue Pepe Caracolito?

Dibuja todos los lugares adonde fue Pepe Caracolito.

Haz letreros para nombrar cada lugar.

1. árbol de manzanas
2. arroyo
3. flores

4. arena
5. hongo
6. tronco

Caracol

Aquel caracol
que va por el sol,
en cada ramita
llevaba una flor.

Que viva la gala,
que viva el amor,
que viva la gala,
de aquel caracol.

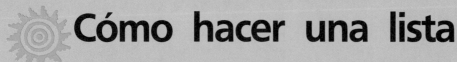 Cómo hacer una lista

En este cuento Alberto tiene que hacer algo.

Piensa en cómo lo hace.
Tú vas a hacer lo mismo.

La mamá de Alberto dijo:
—Hoy tenemos que ir al mercado.
—Necesito algunas cosas.
—¿Me quieres ayudar, Alberto?

—¡Ay, sí mamá! —dijo Alberto.

La mamá de Alberto dijo:
—Te voy a decir lo que necesitamos.
—Ve haciendo una lista
para que no olvidemos nada.

130

Alberto tomó un papel y un lápiz.

Entonces su mamá le dijo:

—Necesitamos pan y miel.

—También necesitamos manzanas y nabos.

—Después quiero comprar un poco
de chicharrón.

—También quiero unas flores azules.

Imagina que tú eres Alberto.

Haz una lista de todas las cosas
que tu mamá quiere comprar.

Usa papel y lápiz.

¡No escribas en el libro!

131

El barro

Nicole Giron

La mamá de Roque hace ollas
y figuras de barro.

Las hace en su casa.

A Roque le gusta ayudar a su mamá
a preparar el barro.

Primero van a buscarlo a un lugar
al que llaman la mina de barro.

La mamá de Roque amasa el barro
que han encontrado en la mina de barro.

Lo amasa con arena y un poquito
de algodón.

El algodón y la arena
hacen que el barro sea muy fuerte.

La mamá de Roque hace figuras
de animales, jarritos y ollas
que pone a secar al sol.

Cuando ya están secas, las pinta
con colores de tierra.

La ayudan el papá de Roque
y sus hermanos grandes.

Después, tienen que encontrar mucha leña.

Preparan un gran fuego sobre las figuras de barro para cocerlas.

Cuando se quema toda la leña, el barro está cocido.

Después que se quema la leña,
dejan enfriar el barro cocido.

Una vez que lo dejan enfriar,
tienen que limpiarlo.

¡Qué bonitas ollas!
Ahora sólo necesitan llevarlas
al mercado de San Agustín
para venderlas.

Pensándolo bien

Preguntas de comprensión

1. La mamá de Roque hace
   ollas y figuras de barro.
   ¿Qué tiene que hacer primero?
   ¿Qué más tiene que hacer?

2. ¿Por qué piensas que la gente
   va a comprar las ollas y las figuras
   de la mamá de Roque en el mercado?

Vocabulario

algodón   barro   leña   arena

Usa cada palabra en una oración.

Lo que me gusta hacer con barro

¿Te gusta hacer cosas de barro?
Haz un dibujo y habla de tres cosas
que te gustaría hacer con barro.

¿Cuál es el orden?

Mira los dibujos.

Los dibujos están en orden.

Ahora lee las oraciones.

Pon las oraciones en el orden de los dibujos.

a. Lucero corrió a buscar a su mamá.

b. Su mamá tiró agua sobre las hojas.

c. Lucero vio que las hojas estaban prendidas.

139

Mira los dibujos.

Los dibujos están en orden.

Ahora lee las oraciones.

Pon las oraciones en el orden
de los dibujos.

a. El gato saltó de la olla
   para agarrar al ratón.

b. El gato estaba escondido en la olla.

c. El ratón se fue, huyendo del gato.

El conejito

Rogelio Sinán

El conejito va a ir a la montaña
a ver a su abuelita.
¿Cómo engañará a los animales
que encontrará por el camino?

141

Había una vez un conejito que vivía
muy contento con su mamá.

Un día el conejito dijo:

—Voy a visitar a mi abuelita.

—Ella vive en la montaña.

Y se fue bailando y saltando
por todo el camino.

De pronto se encontró con una zorra.

—Conejito, conejito —dijo la zorra.

—¡Te voy a comer!

—Ay, no, no me comas —contestó
el conejito.

—Mírame.

—Ahora estoy flaquito, pero cuando
venga de visitar a mi abuelita estaré
grande y gordo.

—Entonces me podrás comer.

A la zorra le gustaban los conejitos
grandes y gordos.

Así que le dijo: —Bueno, vete.

—Pero tienes que regresar
por este mismo camino.

El conejito se fue bailando y saltando.

De pronto se encontró con un tigre.

—Conejito, conejito —dijo el tigre.

—¡Te voy a comer!

—Ay, no, no me comas —contestó
el conejito.

—Mírame.

—Ahora estoy flaquito, pero cuando
venga de visitar a mi abuelita estaré
grande y gordo.

—Entonces me podrás comer.

Al tigre le gustaban los conejitos
grandes y gordos.

Así que le dijo: —Bueno, vete.

—Pero tienes que regresar
por este mismo camino.

El conejito se fue bailando y saltando.

De pronto se encontró con un león.

—Conejito, conejito —dijo el león.

—¡Te voy a comer!

—Ay, no, no me comas —contestó
el conejito.

—Mírame.

—Ahora estoy flaquito, pero cuando
venga de visitar a mi abuelita estaré
grande y gordo.

—Entonces me podrás comer.

Al león le gustaban los conejitos
grandes y gordos.

Así que le dijo: —Bueno, vete.

—Pero tienes que regresar
por este mismo camino.

El conejito se fue bailando y saltando
y llegó a la casa de su abuelita.

148

—Abuelita, abuelita, aquí estoy.

—He venido a comer frutas
y a ponerme bien gordo.

La abuelita le hacía comer frutas,
pasto y agua.

El conejito comía y comía.

149

Un día la abuelita le dijo al conejito:

—Conejito, ya estás bien gordo.

—Tienes que irte a casa de tu mamá.

—¡Ay! abuelita —contestó el conejito
con voz miedosa.

—Encontré en el camino un león,
un tigre y una zorra.

—Me van a comer cuando regrese.

—Entra en este barril
—dijo la abuelita al conejito.

—Vete rodando y vas a ver
que no te comerán.

El conejito entró en el barril.

La abuelita lo hizo rodar y rodar
montaña abajo.

De pronto se encontró con el león.

—Oye, barrilito, ¿no has visto por allí un conejito? —preguntó el león.

El conejito cambió la voz y contestó:
—La montaña está prendida,
el conejito se quemó.
Sal huyendo león,
que te vuelves chicharrón.

El león creyó que la montaña estaba prendida y salió huyendo.

El conejito dentro del barril siguió rodando, rodando, montaña abajo.

De pronto se encontró con el tigre.

—Oye, barrilito, ¿no has visto por
allí un conejito? —preguntó el tigre.

El conejito cambió la voz y contestó:
—La montaña está prendida,
el conejito se quemó.
Sal huyendo tigrón,
que te vuelves chicharrón.

El tigre creyó que la montaña
estaba prendida y salió huyendo.
El conejito dentro del barril
siguió rodando, rodando, montaña abajo.

De pronto se encontró con la zorra.

—Oye, barrilito, ¿no has visto por allí un conejito? —preguntó la zorra.

El conejito cambió la voz y contestó:

—La montaña está prendida,
el conejito se quemó.
Sal huyendo zorrón,
que te vuelves chicharrón.

—A mí no me engañas, conejito
—dijo la zorra.

—Allí vas dentro del barril
y te voy a comer.

La zorra corrió detrás del barrilito.

Pero el barrilito se fue rodando.
Sólo se oía la voz del conejito.
El conejito decía: —Adiosito,
adiosito, señora zorra.

Preguntas de comprensión

1. ¿Cómo engañó el conejito a los animales que encontró en su camino?

2. ¿A qué animal no engañó?

3. ¿Por qué piensas que el conejito dijo a los animales que la montaña estaba prendida?

Vocabulario

Cuando algo no es **feo** es **lindo**.

Lindo es lo contrario de **feo**.

Nombra lo contrario de cada una de estas palabras:

seca   gordo   poca
nueva   rápido   feliz   grande

Escribe una oración con una de estas palabras.

Ahora escribe una oración con lo contrario de esa palabra.

Camino a casa

Imagina que tu casa está en la montaña y tú vas en camino a ella.

Escribe unas oraciones de las cosas que verías.

Abuelita
Tomás Allende Iragorri

Quién subiera tan alto
como la Luna,
para ver las estrellas
una por una,
y escoger entre todas
la más bonita,
para alumbrar el cuarto
de la abuelita.

¿Recuerdas?

1. Pepe Caracolito y el conejito
   se fueron de su casa.
   Gansito se fue corriendo.
   ¿Por qué se fue cada uno de ellos?
   ¿A quiénes se encontraron
   en su camino?

En camino a . . .

Imagina que puedes ir adonde quieras.
¿Adónde te gustaría ir?
¿Cómo vas a llegar?
¿A quién piensas que te vas
a encontrar en tu camino?
Escribe un pequeño cuento sobre esto.

Juegos

REVISTA

3

Contenido

162

Destrezas

Vocabulario

¿Qué va a pasar?

Lee este cuento.
Algo va a pasar.
Piensa qué es lo que va a pasar.

Elena hace dibujos muy lindos.
Le gusta hacerlos para su familia
y sus amigos.
Elena fue a visitar a su abuelita
en las montañas.
El lugar era muy lindo.
Un día, Elena dijo: —Abuelita,
voy a hacer una sorpresa para ti.
Elena salió de la casa.

¿Qué va a pasar después?

164

Pilar

Anita Abramovitz

Pilar tenía problemas cuando hacía cosas para sus amigos.

Vamos a ver si tiene el mismo problema al fin del cuento.

Pilar hacía cosas.

Hacía cosas viejas y cosas nuevas.

Hacía cosas grandes y cosas pequeñas.

Pero Pilar tenía un problema.

Ella hacía las cosas muy rápido
y no le salían bien.

Pilar siempre regalaba las cosas
que hacía a sus amigos.

Sus amigos le decían:
"Gracias, muchas gracias, Pilar".

Pero ellos no sabían qué hacer
con las cosas que les regalaba Pilar.

Un día, la vecina de Pilar le dijo:

—Pilar, yo sé que a ti te gusta hacer cosas.

—¿Por qué no haces cosas que podamos usar?

—¿Por qué no haces letreros?

—Letreros —dijo Pilar.

—¡Qué buena idea!

La siguiente vez que Pilar salió,
leyó todos los letreros que vio.

Cuando volvió a su casa, Pilar
se sentó y empezó a trabajar.

Hizo unos letreros como los que
había visto.

Pero nadie podía usar los letreros.
Nadie los quería.

Así que Pilar puso los letreros
en todo el frente de su casa.

La gente miraba los letreros.

De día y de noche, la gente venía
a la casa.

—¿Se venden las cosas de
los letreros? —le preguntaban.

—¡Ah, no! —decía Pilar.
—Yo no vendo nada.
—Ésos son sólo letreros.

Todos le gritaron a Pilar.

—¡Quita esos letreros de allí!
—le dijeron.

Así que Pilar quitó los letreros.

Pero la cosa no terminó allí.
Cuando Pilar veía un letrero,
iba a su casa y hacía otro igualito.

Un día, Pilar fue al zoológico.

Volvió a su casa, se sentó
y se puso a hacer letreros igualitos a
los del zoológico.

Pero nadie quería esos letreros.

Así que Pilar los puso afuera
por toda la calle.

Había letreros rojos, amarillos
y azules por todas partes.

A la mañana siguiente, Pilar oyó
ruidos que venían de la calle.

Ella miró afuera.

Había gente por todas partes.

Todos habían leído los letreros
de Pilar.

La gente creía que los leones y
los tigres habían huido del zoológico.

175

Pilar quería correr.

Pilar se quería esconder.

Pilar quería volar lejos.

Pero no lo hizo.

Llamó a la gente: —¡Esperen, esperen, por favor!

Entonces ella salió corriendo y les dijo: —Lo siento, lo siento mucho.

—No quise asustarlos.

—Voy a quitar los letreros.

Cuando la gente se fue, Pilar entró
a su casa.

Ella hizo un letrero bien grande.

Un amigo la ayudó a poner
su letrero nuevo.

Después, Pilar estuvo
trabajando mucho.

177

El primer letrero que hizo Pilar
fue para la casita que Beto tenía
en un árbol.

Luego Pilar hizo un letrero
para la casa de un vecino.

Después, hizo un letrero para un
buen amigo.

Y un día Pilar hizo un letrero
muy pequeñito.

Era para una vecina que quería
ponerlo en la cama de su gato.

La gente le sigue diciendo:
"Gracias, muchas gracias, Pilar".

Y lo dicen de verdad.

Ahora ya saben qué hacer
con las cosas que hace Pilar.

Preguntas de comprensión

1. ¿Qué problemas tenía Pilar cuando hacía cosas para sus amigos? ¿Tenía Pilar los mismos problemas al fin del cuento?

2. Pilar puso unos letreros frente a su casa y otros en la calle. ¿Por qué los quitó?

3. ¿Por qué piensas que Pilar hacía cosas para la gente?

Vocabulario

¿Cómo se llama cada animal?

Escribe una oración sobre cada uno.

¿Qué otros animales piensas que Pilar vio en el zoológico?

Haz un letrero

Haz un letrero para un amigo.

Di cómo lo podría usar tu amigo.

¿En qué se parecen?

Vas a encontrar cosas que se parecen.

1. Mira los siguientes dibujos.

¿Qué otras cosas se pueden hacer con el barro?

2. Mira estas palabras.
   ¿En qué se parecen?

   puerco espín   zorro   oveja

   ¿Qué otras palabras son como éstas?

3. Mira las palabras a la derecha.

   Algunas palabras son nombres de lugares adonde puedes ir.

   ¿Puedes encontrar estas palabras?

   ¿Qué otras palabras son nombres de lugares adonde puedes ir?

   tienda
   león
   zoológico
   fruta
   mercado
   escuela

4. Mira los siguientes dibujos.
   ¿En qué se parecen estas cosas?

Hoy ven a oír un cuento
en la biblioteca de niños

¿Qué otras cosas son como éstas?

¡Señales y más señales!

Con una señal se dice algo muy rápido.

Algunas señales usan palabras.

Algunas señales usan palabras y figuras.

Muchas señales usan sólo figuras.

Las señales con figuras se usan
en muchos lugares porque todos saben
lo que quieren decir.

Habla sobre lo que quieren decir
estas señales.

Ésta quiere decir Vaya rápido.

¿Qué quiere decir ésta?

> Es bueno saber
> lo que dicen las señales.

Ésta quiere decir No camine.

¿Qué quiere decir ésta?

Ésta quiere decir
Vaya a la derecha.

¿Qué quiere decir ésta?

A veces las señales se ponen juntas
para hacer nuevas señales.

Esta señal quiere decir
Se permiten perros.

Esta señal
quiere decir No.

¿Qué quiere decir
esta señal?

Puedes ver señales
en muchísimas partes.

Las señales te pueden ayudar.

¿Puedes pensar en una señal
que te haya ayudado?

Pensándolo bien

Preguntas de comprensión

1. Hay tres clases de señales. Nómbralas.

2. ¿Por qué piensas que las señales en las calles son importantes?

Vocabulario

Se permiten perros

Vaya a la derecha

Vaya rápido

¿Qué palabras van con cada dibujo?

Calles con señales

Dibuja unas calles.

Haz unas señales con palabras y dibujos para las calles.

A la luz colorada

Ernesto Galarza

A la luz colorada
alto y parada.
Anaranjado
mucho cuidado.
A la luz verde
nadie se pierde.
Las luces son tres.
Cuéntalas otra vez.

Palabras que describen

Éstas son palabras que describen.

feliz   **bonito**   **azul**

Las palabras que describen te pueden decir cómo se ve una cosa.

Lee estas oraciones.

1. El monstruo tiene un paraguas.

2. El monstruo tiene un paraguas azul.

La palabra **azul** te dice cómo se ve el paraguas.

Di algo más sobre el monstruo.

Usa palabras que describen para decir cómo se ve el monstruo.

190

☀ ¿Qué es?

Estas oraciones son sobre algo.
¿Sobre qué son?

1. Es un animal.
   No puede correr.
   Lleva su casa sobre sí mismo.

   ¿Qué es?
   a. una mariposa
   b. una araña
   c. un caracol

2. Topito oyó un ruido fuerte.
   Al oírlo, saltó y gritó: —¡Ay!
   Entonces corrió a esconderse.

   ¿Cómo se sentía Topito?
   a. Tenía miedo.
   b. Estaba contento.
   c. Estaba cansado.

191

3. Marcela llegó a casa
después de la escuela.
Encontró una nota de su hermano.
La nota decía:

Marcela:
    He ido a regresar unos libros
y a buscar otros.
    Voy a hacer mi tarea allí.
    Regresaré pronto.
    ¡Hasta entonces!

                   Toni

¿Adónde fue Toni?

Ñato Olfato
y la estampilla perdida

Parte 1
Marjorie Weinman Sharmat

El Ñato es muy bueno para
encontrar cosas perdidas.

Vamos a ver lo que hace
cuando trabaja en el caso de
la estampilla perdida.

Yo, Ñato Olfato, estaba leyendo un libro de detectives cuando llegó Claudio.

—Se me ha perdido mi dinosaurio —dijo Claudio.

Le pregunté: —¿Cómo te pasó eso?
—Un dinosaurio es muy grande.

—Mi dinosaurio es pequeño —dijo Claudio.

—El dinosaurio está en una estampilla.
—¿Puedes ayudarme a encontrarla?

—Éste va a ser un caso difícil —le dije.

—Pero lo voy a tomar.

—¿Dónde estaba la estampilla
con el dinosaurio cuando la viste
por última vez?

—Estaba en mi casa —dijo Claudio.

—Les estaba enseñando todas mis
estampillas a Anita, a Pipo y a Rosa.

Le dije: —Yo, Ñato Olfato,
iré a tu casa.

Le dejé una nota a mi mamá.

Mamá:

He tomado un caso difícil.
Cuando encuentre algo grande
que es pequeño, regreso.

Adiosito,
Ñato Olfato

Claudio y yo fuimos a su casa.

—Aquí están todas mis otras
estampillas —dijo Claudio.

Yo, Ñato Olfato, vi muchas estampillas.
Le enseñé una estampilla al Fangoso.
—Tenemos que buscar una estampilla
—le dije.

A veces el Fangoso no es
muy buen detective.
El Fangoso quería lamer
la estampilla.
—Mírala. No la lamas
—le dije.

El Fangoso y yo buscamos y buscamos.
No encontramos la estampilla.
Le pregunté a Claudio: —¿Cuándo
supiste que la estampilla no estaba?

—Después de que todos se fueron
—me dijo.

—¿Se fueron todos al mismo tiempo?
—le pregunté.

—Sí —dijo Claudio.

—¿Vinieron todos al mismo tiempo?
—le pregunté.

—No —dijo Claudio.

—Anita y Rosa vinieron para decirme que Rosa tenía una venta.

—Entonces empezó a llover.

—Llovió por mucho tiempo, así que Anita y Rosa se pusieron a mirar las estampillas.

—Cuando dejó de llover, llegó Pipo.

—Él también se puso a mirar mis estampillas.

—Luego fueron a la venta de Rosa.

—Entonces yo, Ñato Olfato, también tengo que ir a la venta —dije.

El Fangoso y yo fuimos a ver a Rosa.

—¿Tienes una estampilla con
un dinosaurio? —le pregunté a Rosa.

—No —dijo ella—, pero Claudio
sí tiene una.

—Muchas gracias —le dije.
Estaba por irme.

Entonces vi a Pipo.

—¿Has visto una estampilla con
un dinosaurio en la casa de Claudio?
—le pregunté a Pipo.

Pipo no habla mucho.

Movió la cabeza para decir que sí.

—¿Sabes dónde está ahora?
—le pregunté.

Pipo movió la cabeza para decir que no.

—Muchas gracias —le dije.

Vi a Anita con su perro Colmillo.

—Estoy buscando la estampilla de
Claudio que tiene un dinosaurio —le dije.

—¿Qué me puedes decir de ella?

—Puedo decirte que me recuerda a Colmillo —contestó Anita.

—Enséñanos tu sonrisa de dinosaurio —le dijo a Colmillo.

Colmillo se sonrió.

Yo, Ñato Olfato, supe que era hora de irme.

Le dije adiós a Anita.

Preguntas de comprensión

1. ¿Qué cosas hizo Ñato cuando estaba buscando la estampilla perdida?

2. ¿Por qué hizo esas cosas?

Vocabulario

difícil   nota   perdidas

1. Ñato es muy bueno para encontrar cosas ____.

2. Ha tomado un caso ____.

3. Le dejó una ____ a su mamá.

¿Qué palabra va en cada oración?

La nota de un detective

Imagina que eres un detective. Escribe una nota a tu mamá sobre tu caso.

Ñato Olfato
y la estampilla perdida

Parte 2
Marjorie Weinman Sharmat

El Ñato aún no
ha encontrado
la estampilla.
Vamos a ver si
la encuentra.

El Fangoso y yo caminamos
hacia la casa.

Me vi en los charcos.

Ya en la casa, me hice algo de comer.

Pensaba en la estampilla
con el dinosaurio.

¿Debería pensar en el dinosaurio
o en la estampilla?

—Tengo que aprender algo más acerca
de los dinosaurios
—le dije al Fangoso.

Fui a ver unos dinosaurios.

Encontré un dinosaurio.
Miré hacia arriba… y más arriba.
Era muy grande pero
no se podía mover.
Yo, Ñato Olfato, estaba muy alegre
por eso.
Aprendí todo acerca del dinosaurio,
pero eso no me ayudó en el caso.

Empecé a caminar a casa.

Pensaba mucho en la estampilla.

Sabía que Anita y Rosa vieron
la estampilla en la casa de Claudio.

Luego llovió por mucho tiempo.

Sabía que después que dejó de llover,
Pipo también vio la estampilla.

Sabía que la estampilla había estado
en la casa de Claudio.

¿Cómo salió? ¿Dónde estaba?

Todas las estampillas tienen dos lados.

¿Debería pensar en el lado pegajoso
o en el lado con el dinosaurio?

—Piensa en algo pegajoso
—le dije al Fangoso.

El Fangoso no me había ayudado mucho
—¿o sí?

El Fangoso había querido lamer
el lado pegajoso de una estampilla.

Eso hubiera mojado la estampilla.

Una estampilla mojada es muy pegajosa.

Una estampilla muy pegajosa...
¡se pega!

De pronto supe que el Fangoso era
un gran detective.

Él sabía que el lado pegajoso
de una estampilla podía ser importante.

Yo sabía que algo mojado
haría la estampilla pegajosa.

Cuando Anita y Rosa fueron a la casa
de Claudio no estaba lloviendo.

Pero cuando Pipo fue a la casa
de Claudio, había estado lloviendo
pero ya no llovía.

Pensé en los charcos.

Pensé en Pipo, caminando en ellos.

Salí y caminé en un charco.

Luego entré y caminé sobre
el lado pegajoso de una estampilla.

¡La estampilla se pegó en mi zapato!

Eso debía de haber pasado
con la estampilla del dinosaurio
y el zapato de Pipo.

Tenía que ver los zapatos de Pipo.

El Fangoso y yo fuimos a la casa de Pipo.

Él estaba en zapatillas.

—¿Dónde están tus zapatos? —le pregunté.

Pipo dijo: —Mis zapatos se mojaron.

—Después que miré las estampillas de Claudio, fui a la venta de Rosa.

—Le di mis zapatos mojados por estas zapatillas.

—Muchas gracias —le dije.

El Fangoso y yo regresamos a la venta.
Fui a hablar con Rosa.

—Quiero los zapatos de Pipo —le dije.

—Los tiene Anita —dijo Rosa.

El Fangoso y yo corrimos
a la casa de Anita.
Vi dos zapatos.
Colmillo tenía uno de ellos.
—¿Son éstos los zapatos de Pipo?
—le pregunté.

—Eran —dijo Anita.

Yo, Ñato Olfato, miré el zapato
que tenía Colmillo.

Había algo pequeño pegado a él.

Por fin había encontrado la estampilla.

Pero yo, Ñato Olfato, sabía que
tenía que quitársela al perro.

Pensé rápido.

—Enséñame la sonrisa de dinosaurio
de Colmillo —le dije.

—Sonríete, Colmillo —le dijo Anita.

Colmillo se sonrió.

El zapato se le cayó.

Yo lo agarré.

Yo, Ñato Olfato, le quité
la estampilla.

El caso había terminado.

El Fangoso y yo llevamos la estampilla
a la casa de Claudio.

La estampilla aún estaba pegajosa,
pero Claudio se alegró al verla.

El Fangoso y yo caminamos a casa.
No caminamos por los charcos.

Preguntas de comprensión

1. ¿Encontró Ñato la estampilla?
    Si es que la encontró, ¿dónde
    estaba?

2. Ñato hizo muchas cosas cuando
    estaba buscando la estampilla.
    ¿Qué cosas le ayudaron a encontrarla?
    ¿Qué cosas no le ayudaron?

3. ¿Piensas que Ñato era
    un buen detective?
    ¿Por qué sí o por qué no?

Vocabulario

En este cuento, Ñato empezó un caso.

Al fin del cuento, el caso había terminado.

Estas palabras nombran cosas que empiezan y que terminan.

día   cuento   fiesta   juego

Escribe cómo empieza y termina una de estas cosas.

Soy detective

Imagina que eres un detective.

¿Qué cosa estás buscando?

¿Cómo vas a encontrar lo que buscas?

¿Recuerdas?

1. Pilar y Ñato tenían problemas.
   Habla sobre cada uno
   de sus problemas.

2. Pilar hizo felices a sus amigos y
   Ñato hizo lo mismo.
   ¿Cómo lo pudo hacer cada uno
   de ellos?

Lo que me gusta hacer

A Pilar le gusta hacer letreros.
A Ñato le gusta buscar cosas.
¿A ti qué te gusta hacer?
Escribe unas oraciones sobre
lo que te gusta hacer.

Cuando yo sea grande

Cuando Ñato sea grande, podría ser un detective de verdad.

Un día, Pilar podría ser una pintora de letreros.

Dibuja y habla sobre algo que a ti te gustaría hacer cuando seas grande.

Sonidos que conoces

Vocales iniciales

a    e

i    o

u

Vocales finales

____ a    ____ e

____ o

Sonidos que conoces

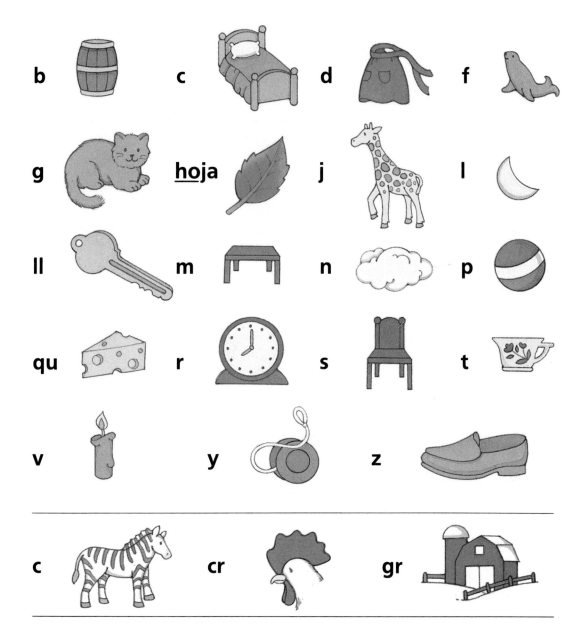

b

c

d

f

g

<u>ho</u>ja

j

l

ll

m

n

p

qu

r

s

t

v

y

z

c

cr

gr

Más sonidos que conoces

pl

pr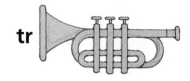

tr

___ s

___ r

___ z

Sonidos nuevos

ñ ni<u>ñ</u>a

ch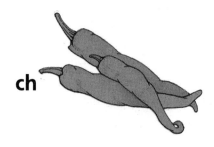

Al encontrar una nueva palabra—

Lee toda la oración en la que está la palabra.

Piensa qué es lo que dicen las palabras.

Piensa en los sonidos de las letras.

Continued from page 2.

Credits

Cover and title page illustrated by Cynthia Brodie

Illustrators: Willi K. Baum 107–110; Ellen Beier 24, 76–77, 217; Jane Coats 78–91, 93–106, 160; Robert L. Crowe 25–36; Tennessee Dixon 159; Rae Ecklund 192; Manuel Garcia 129; Siegfried E. Gatty 65, 130–131, 182–183; Konrad Hack 42–50, 52–61, 72; Heather King 11–23, 71; Masami Miyamoto 132–137, 165–180, 218; Cristine Mortensen 113–128; Anjo Mutsaars 193–202, 204–216, 219; Terra Muzick 220–222; Jane Oka 38–39, 190; Rik Olson 37, 63, 70, 92, 158, 184–188; June Otani 40–41, 139–140; Roni Shepherd 10, 138, 164, Judy Sakaguchi 111–112, 181; Philip Smith 141–157, 191

Photographers: Jen and Des Bartlett/Bruce Coleman, Inc. 66; Peter Bryant/University of California, Irvine/Biological Photo Service 69; Stephen Dalton/Animals Animals 68; Mark E. Gibson 189; John Shaw/Bruce Coleman, Inc. 67 bottom L; Lynn M. Stone/Animals Animals 67 R; John Visser/Bruce Coleman, Inc. 67 top L